LA RÉCOMPENSE DE LILI

D0756264

Données de catalogage avant publication (Canada)

Stanké, Claudie

La Récompense de Lili

(Collection plus)

Pour les jeunes de 7 ans et plus.

ISBN 2-89428-647-3

I. Titre.

PS8587.T322R42 2004 jC843'.54 C2004-940299-4

PS9587.T322R42 2004

L'éditeur a tenu à respecter les particularités linguistiques des auteurs qui viennent de toutes les régions de la francophonie. Cette variété constitue une grande richesse pour la collection.

Maquette de la couverture : **Marie-France Leroux**
Composition et mise en page : **Folio infographie**

Les Éditions Hurtubise HMH bénéficient du soutien financier des institutions suivantes pour leurs activités d'édition :

- Conseil des Arts du Canada ;
- Gouvernement du Canada par l'entremise du Programme d'aide au développement de l'industrie de l'édition (PADIÉ) ;
- Société de développement des entreprises culturelles du Québec (SODEC) ;
- Programme de crédit d'impôt pour l'édition de livres du gouvernement du Québec.

© Copyright 2004
Éditions Hurtubise HMH ltée
Téléphone : (514) 523-1523 • Télécopieur : (514) 523-9969
www.hurtubisehmh.com

Distribution en France
Librairie du Québec/DEQ
Téléphone : (1) 43 54 49 02 • Télécopieur : (1) 43 54 39 15
Courriel : liquebec@noos.fr

ISBN 2-89428-647-3

Dépôt légal/1er trimestre 2004
Bibliothèque nationale du Québec
Bibliothèque nationale du Canada

La *Loi sur le droit d'auteur* interdit la reproduction des œuvres sans autorisation des titulaires de droits. Or, la photocopie non autorisée – le « photocopillage » – s'est généralisée, provoquant une baisse des achats de livres, au point que la possibilité même pour les auteurs de créer des œuvres nouvelles et de les faire éditer par des professionnels est menacée. Nous rappelons donc que toute reproduction, partielle ou totale, par quelque procédé que ce soit, du présent ouvrage est interdite sans l'autorisation écrite de l'Éditeur.

Imprimé au Canada

LA RÉCOMPENSE DE LILI

Claudie Stanké

Illustré par
Stéphane Jorisch

Collection Plus

E4

ÉCOLE SIMON-VANIER
1755 Avenue Dumouchel
Laval, Qc H7S 1J7
(450) 662-7000 Ext. 6840

Claudie STANKÉ est comédienne de formation. Elle travaille souvent pour la radio où elle fait des narrations, des lectures de textes. Elle fait aussi des doublages pour la télévision et le cinéma. Claudie écrit beaucoup : des pièces de théâtre, des scénarios et des romans. Et quand elle n'écrit pas, elle sculpte des dragons et des bêtes aux couleurs de l'enfance pour un atelier spécialisé en... gargouilles !
Elle signe son troisième titre dans la collection Plus, après *Lili et moi* et *Mes vacances avec Lili*.

Très jeune, **Stéphane JORISCH** dessine déjà beaucoup. Il tient cela de son père dont il envie énormément le talent. Il obtient un baccalauréat en design industriel en 1982 et travaille comme designer industriel pendant deux ans, mais le dessin lui manque. Alors il dessine de tout, des bâtiments, des machines, des gens. Maintenant, il travaille surtout pour l'édition. Il a reçu la plus haute récompense pour un illustrateur canadien, le Prix du Gouverneur général.

ÉCOLE SIMON-VANIER
1755 Avenue Dumouchel
Laval, Qc H7S 1J7
(450) 662-7000 Ext. 6840

À Robert L. *qui m'a inspiré cette histoire*
puisée au cœur de mon enfance
passée à ses côtés.

1

Si j'avais su...

J'aurais dû y penser avant parce qu'après... c'est trop tard. Oui, et quand c'est trop tard, impossible de revenir en arrière... On peut toujours fermer les yeux et tout effacer dans sa tête, mais ça ne change rien parce que, quand on les ouvre, on voit bien que tout est comme avant.

En vérité, je ne voulais pas mal faire... Je ne l'ai pas fait exprès. Je l'ai dit à Lili, mais elle n'a rien répondu.

Elle ne m'a même pas regardée et c'est ma mère qui s'est retournée pour me rassurer.

— Ça va, Natacha, c'est réglé maintenant. On n'en parle plus. Essaie de dormir un peu, on est encore loin...

On était dans la voiture qui nous ramenait à la maison. Il commençait à faire noir, mais par la fenêtre, j'apercevais encore les arbres. À mesure que l'on avançait, je les voyais défiler de plus en plus vite. Je n'arrivais pas à m'endormir. Premièrement, je n'avais pas sommeil et puis je regardais Lili du coin de l'œil. Je voulais qu'elle me sourie et qu'on redevienne amies, mais elle ne faisait pas attention à moi.

Elle faisait comme si je n'existais pas. Si au moins j'avais été une

mouche, j'aurais pu me poser sur le bout de son nez et elle aurait bien été obligée de me regarder.

Ça m'énervait à la fin qu'elle boude comme ça. Je voulais la pincer pour qu'elle n'oublie pas que j'étais assise à côté d'elle. Mais ce n'était pas le moment, pas après ce qui s'était passé…

Alors, j'ai décidé de fermer les paupières pour regarder les images que j'avais enregistrées dans ma mémoire. Et quand le père de Lili a allumé la radio, c'était comme si je me repassais le film de ces deux dernières semaines au chalet.

12345

2

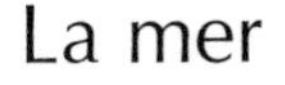

La mer

Quand ma mère m'a dit qu'on allait partir au bord de la mer tous ensemble, maman, le père de Lili, Lili et moi*, j'ai sauté de joie.

Je n'avais jamais vu la mer. J'en avais déjà entendu parler, c'est sûr. J'avais même pu la voir plusieurs fois à la télévision et je me souvenais

---

* Voir *Lili et moi* (collection Plus).

de certains noms comme : la mer Méditerranée, la mer Rouge, la mer euh... Bon, il y en a beaucoup des mers, seulement Lili et moi on n'en avait jamais vu une seule en vrai.

Dès qu'on est arrivées au chalet, on a tout de suite voulu aller à la plage. On ne tenait plus en place :

— Allez, vous venez ?

— On y va ?

Mais ma mère nous a demandé d'attendre... Avec les adultes, il faut toujours attendre.

— Une minute, ce ne sera pas long !

L'ennui, c'est que leurs minutes à eux, elles durent toujours plus longtemps... alors nous, on s'impatientait.

— Allez, on y va ?

— Oui, venez !

Et ça les énervait.

— Ça suffit ! Si ça continue, on ne bougera pas d'ici…

Oups ! On n'a plus rien dit... J'avais commencé à compter dans ma tête : un... deux... trois... quatre... quand le père de Lili nous a demandé de lui donner un coup de main pour sortir les bagages de la voiture. On n'a pas porté les grosses valises, bien sûr, mais on l'a quand même aidé un peu. Avec Lili, on a sorti la cage de mon chat Calinou. Il n'aime vraiment pas être dans sa boîte, il n'arrête pas de miauler. En plus, il essaye d'arracher les barreaux avec ses dents. Quand on l'emmène en voiture, il faut qu'on l'enferme, sinon il se promène partout. C'est vrai, une fois il est même allé sur les épaules de ma mère pendant qu'elle conduisait, c'était dangereux.

Dès qu'on a eu fini de décharger la voiture, on a enfilé nos maillots de bain et on est parties à la plage. On a emporté un ballon et un seau pour ramasser des pierres et des étoiles de mer.

En arrivant au bord de l'eau, Lili ne voulait plus se baigner, elle avait peur des requins :

— Mais ça ne se peut pas, Lili, il n'y en a pas dans cette mer-là !

— Comment tu le sais ? C'est la première fois que tu viens ici, d'abord !

— Ben, ... je le sais, c'est tout.

— Baigne-toi alors s'il n'y en a pas !

Ça ne servait à rien de parler, alors je l'ai regardée en haussant les épaules et j'ai commencé à marcher

vers la mer. En vérité, Lili m'avait fait peur avec son histoire de requins... Je faisais comme si de rien n'était, mais j'avançais lentement. Une fois que j'ai eu les pieds dans l'eau, je me suis arrêtée et Lili s'est mise à crier :

— Peureuse ! Peureuse !

À ce moment-là, son père et ma mère ont dit qu'ils nous ramèneraient au chalet si on n'était pas capables de s'entendre... Lili n'a plus rien dit, mais elle est venue se planter juste devant moi. Tant mieux. Comme ça, j'ai pu lui parler sans que ma mère entende :

— Peureuse toi-même ! De toute façon, les requins, ils ne nagent que dans la mer chaude, c'est Tina qui me l'a dit quand on était au camp*. Ici, l'eau est trop froide.

— Ah !

Comme c'est Tina qui l'avait dit, Lili a trempé ses pieds dans l'eau.

---

* Voir *Mes vacances avec Lili* (collection Plus).

— C'est vrai qu'elle est froide, l'eau !

Je ne pouvais pas dire le contraire, j'avais des frissons partout.

— Oui... On compte jusqu'à trois et on y va, d'accord ? Un... deux... trois !

On a pris une grande respiration, puis on a couru jusqu'à la première vague. On est tombées toutes les deux en même temps. C'était rigolo ! Sauf que j'ai eu de l'eau dans la

bouche ! Ça avait le goût de sel, beurk ! C'était pas comme à la piscine.

En tout cas, on s'est bien amusées. La mer, j'aime ça, Lili aussi.

Ensuite, on a ramassé des coquillages et deux étoiles de mer qu'on a rapportés au chalet.

3

Le stylo

Le lendemain matin, la première chose qu'on voulait faire, c'était de retourner à la plage. Seulement, au moment de partir, il a fallu attendre le père de Lili. Il avait perdu son stylo. Il n'en avait pas besoin pour aller à la plage, mais il voulait le retrouver. Il cherchait, cherchait… Ça prenait tellement de temps que maman s'est mise à chercher avec lui. Puis, elle nous a demandé de les aider !

— On prend chacun une pièce et on regarde dans tous les coins, d'accord ?

Lili et moi, on était d'accord, même qu'on trouvait ça amusant.

— Moi, je vais dans le salon.

— Moi, dans la cuisine !

Je me disais que c'était plus facile de chercher dans la cuisine parce que la pièce était plus petite, il y avait moins de recoins.

On a eu beau se forcer, on n'a rien trouvé. Alors on est allées voir ma mère.

— On a regardé partout, on ne l'a pas... Bon, on y va maintenant ?

— Pas tout de suite, on cherche encore un peu.

— Oh !

J'en avais assez d'attendre, Lili aussi. C'est alors que j'ai eu une idée : je suis allée dans ma chambre fouiller dans ma boîte de crayons, j'ai sorti mon crayon à bille quatre couleurs et je me suis approchée de Paul, le père de Lili.

— Tiens, je te le donne !

Mais il n'en a pas voulu.

— Merci, Natacha, c'est gentil. Mais tu vois, il faut que je retrouve mon stylo parce que...

Il a commencé à m'expliquer pourquoi il fallait qu'il le retrouve. Ce n'était pas un stylo très cher, il ne valait pas beaucoup d'argent en fait, mais il avait une grande valeur dans son cœur.

C'est un peu compliqué mais euh... Ça veut dire qu'on peut avoir quelque chose qui ne coûte presque rien, mais qui est très cher quand même...

Finalement, on a arrêté de jouer aux détectives et ma mère nous a accompagnées à la plage.

Lili et moi, on a décidé de faire une collection de pierres. On ramassait les plus belles. Il y en avait des rondes, des carrées, avec toutes sortes de lignes blanches dessus. J'en ai même trouvé une qui ressemblait à une coccinelle, c'est ma préférée !

C'est chouette la mer, il y a un tas de trucs à faire !

Ce soir-là, à la fin du repas, le père de Lili nous a parlé de quelque chose de très intéressant : il nous a parlé d'une récompense !

Comme il avait trouvé qu'on n'avait pas fait beaucoup d'efforts pour retrouver son stylo, il nous a regardées dans les yeux et d'un air très sérieux, il nous a dit :

— Celle qui trouvera mon stylo aura droit à une récompense.

— C'est vrai ?

Ça alors, je n'en revenais pas !

— Papa, c'est quoi une récompense ?

Moi, je savais ce que c'était alors je l'ai expliqué à Lili :

— Ben... c'est comme... euh... un cadeau.

— Ah oui ?

— Oui, mais t'as le cadeau seulement si tu trouves le stylo !

Lili s'est alors retournée vers son père, puis elle a posé la même question que j'avais dans ma tête :

— C'est quoi comme cadeau ?

Moi aussi, je voulais savoir :

— Oui, c'est quoi ?

— Ah !... C'est une surprise, vous verrez !

Comme on avait fini de manger, on s'est dépêchées de sortir de table pour commencer nos recherches. Mais ça n'a pas duré longtemps, car c'était l'heure d'aller dormir.

Quand je me suis couchée, je n'arrivais pas à m'endormir parce que je pensais à la récompense. Je me demandais bien ce que ça pouvait être…

4

Ce n'est pas juste...

Le lendemain, on a cherché le stylo, les jours suivants aussi, ensuite on a moins cherché et après on n'a plus cherché du tout. On préférait jouer. Tant pis pour la récompense... De toute façon, on n'y pensait même plus.

Mais voilà qu'un matin, on a pris la voiture pour aller au grand quai. Là-bas, il y avait un pêcheur qui nous attendait pour nous emmener faire une excursion en bateau.

Le soleil venait tout juste de se lever, tout le monde dormait encore dans le village...

C'était la première fois que Lili et moi allions faire un tour en mer. Avant de partir, le monsieur nous a donné des espèces de vestes en plastique, elles n'étaient pas belles.

— J'ai pas envie de mettre une veste, moi, j'ai pas froid !

Ma mère enfilait déjà la sienne :

— Ce n'est pas contre le froid, Natacha, c'est pour te protéger. Regarde, moi aussi j'en mets une.

Le pêcheur m'a alors expliqué que ces vestes-là, c'étaient comme des bouées. C'est pour nous faire flotter si on tombe à l'eau. Il m'a dit aussi

que j'étais obligée d'en porter une même si je savais nager…

En tout cas, moi, veste ou pas, je ne suis pas prête à retourner en bateau.

Ce n'est pas que je n'aimais pas ça, non… Au contraire, je trouvais ça drôle d'avancer sur la mer et de laisser glisser mes mains dans l'eau. À un moment donné, on a même vu des baleines. De loin, elles paraissaient toutes petites, mais quand j'ai regardé avec les jumelles, je les ai bien vues, elles étaient très grosses !

Au début, ça allait bien, mais soudain, il a commencé à y avoir plus de vagues et le bateau s'est mis à tanguer. Il penchait de tous bords tous côtés, droite, gauche… devant, derrière… Alors, j'ai eu mal au cœur.

Ma mère me disait de respirer lentement en regardant l'horizon, c'est ce que j'ai fait jusqu'à ce qu'on arrive à terre. Je n'ai pas vomi, mais

je peux dire que j'avais l'estomac tout à l'envers. C'est seulement moi qui ai eu le mal de mer, ce n'est pas drôle...

En plus, quand on est arrivés au chalet, en descendant de la voiture Lili a mis le pied sur... Eh oui, sur le stylo de son père ! Elle l'a ramassé en criant :

— Je l'ai trouvé !

Un large sourire éclairait son visage.

Elle avait marché dessus et il n'était même pas brisé, ce n'est pas juste…

En fait, il avait dû glisser sous la voiture quand on a sorti les valises, le jour de notre arrivée... Comme on n'avait pas déplacé l'auto depuis, il était resté bien caché.

Je n'ai jamais de chance, moi. J'ai cherché le stylo partout dans le chalet et plus longtemps que Lili, mais c'est elle qui l'a trouvé. C'est vraiment injuste...

5

La récompense

En tout cas, je peux dire que Lili, elle l'a eue la récompense !

Oui, c'était une vraie de vraie. Son père lui a acheté une grosse boîte de chocolats. En plus, dans la boîte, il y avait un petit papier avec des dessins pour expliquer quelles sortes elle contenait.

D'habitude, je les écrase avec mes doigts pour voir ce qu'il y a à l'intérieur. Quand je vois que c'est une

saveur que je n'aime pas, je le remets dans la boîte. Seulement si ma mère s'en aperçoit, je me fais gronder et je suis obligée de le manger... Beurk ! Lili m'en a quand même donné, mais pas beaucoup parce que c'était sa boîte à elle.

Ceux que je préfère, c'est ceux qui sont au caramel et qui craquent sous les dents. Moi, je garde le caramel pour la fin. Oui, je laisse fondre le chocolat sur ma langue et après je croque dans le caramel. Ça fait cric, crac, cric... Quand on les mange comme ça, ça dure plus longtemps.

Quand la boîte de chocolats de Lili a été vide, je me suis dit que ce serait bien d'en avoir une autre, mais une à moi cette fois ! Alors, j'ai pensé que je pourrais cacher le stylo du père de Lili. Tout le monde le chercherait encore en pensant qu'il était perdu et moi je le sortirais de sa cachette en faisant semblant de le retrouver... Et la récompense serait pour Natacha !

J'étais bien contente de mon idée, seulement je me suis rendu compte que c'était très difficile de prendre le stylo du père de Lili parce qu'il l'avait toujours sur lui. Et quand il n'était pas dans ses poches c'est qu'il écrivait avec...

En réfléchissant, je me suis dit qu'à la place, je pourrais cacher un objet qui appartenait à Lili et qu'elle aimait beaucoup.

J'ai tout de suite pensé à sa petite bouteille de parfum qu'elle peut porter en pendentif. C'est sa grand-

mère qui la lui a rapportée de son voyage en France. En fait, c'est un collier et en même temps on peut mettre ce qu'on veut dans la bouteille. L'autre fois, Lili a mis du bain moussant à la fraise dedans, ça sentait bon !

Je n'ai pas eu à chercher longtemps pour trouver son collier parce qu'elle le met toujours sous son oreiller.

Le plus difficile, c'était de dénicher un bon endroit pour le cacher. Au début, je l'ai mis sous son matelas, mais c'était trop près de son oreiller. Alors, je l'ai rangé sous mes vêtements dans le dernier tiroir, mais là encore je me suis dit qu'elle le trouverait trop vite. Ensuite, je l'ai enfoui dans mon sac à dos, puis j'ai changé d'idée et je l'ai caché dans la cage de

Calinou... mais comme je ne voulais pas que Calinou joue avec, j'ai trouvé une autre cachette.

Tout ça pour dire que quand est venu le temps de chercher le collier de Lili, je ne savais plus où je l'avais caché... Tout le monde le cherchait, évidemment, mais plus on cherchait et moins on trouvait. Moins on trouvait et plus Lili pleurait !...

C'est alors que le père de Lili nous a dit qu'il fallait retrouver le collier avant de quitter le chalet. Il était très sérieux, il ne souriait pas du tout :

— On doit ABSOLUMENT le retrouver, c'est compris !

Je lui ai quand même demandé si on allait avoir une récompense :

— Est-ce qu'on va avoir une boîte de chocolats si on le trouve ?

J'aurais dû me taire… oui, parce que ma mère a tout de suite deviné que c'était moi qui avais caché le collier de Lili.

— Natacha, regarde-moi un peu… Il est où ce collier? Ce n'est pas toi qui l'aurais caché?

— Ben… heu…

— Alors?

Alors, j'ai tout avoué à ma mère. Elle n'était pas contente! Mais le pire, c'était de voir la tête de Lili, elle était fâchée et en plus elle était triste.

Avant de quitter le chalet, on a tous cherché le collier une dernière fois mais on ne l'a pas trouvé ! Je peux dire que je m'en voulais...

Maintenant que j'étais dans la voiture qui nous ramenait à Montréal, j'aurais voulu revenir en arrière... Oui, j'aurais dû y penser avant...

Et tout à coup, il y a eu comme un éclair dans ma tête... je savais où j'avais caché le collier !

Je me suis rapprochée de Lili et je lui ai chuchoté à l'oreille :

— Je sais où il est ton collier. Je m'en souviens maintenant, c'est sûr ! Il est dans la petite pochette de ma valise !

Sur le coup, Lili ne m'a pas crue. Elle a quand même fini par se retourner et j'ai bien vu qu'elle avait l'air contente; dans ses yeux, il y avait comme deux soleils.

— C'est vrai?

— Oui, j'en suis certaine.

Je ne l'ai pas dit à Lili, mais pendant tout le voyage, j'ai croisé mes doigts en pensant très fort au collier pour qu'il soit encore dans ma valise. Parce qu'en vérité, Lili, c'est mon amie et je n'aime pas ça quand elle est triste.

Table des matières

LE PLUS DE *Plus*

Réalisation :
Christine Barozzi

Une idée de
Jean-Bernard Jobin
et Alfred Ouellet

Avant la lecture

La planète bleue

La Terre paraît bleue, car l'eau recouvre presque les trois quarts de sa surface. Les océans et les mers forment 97 % de cette eau ; glaces, lacs et rivières se partagent donc les 3 % qui restent...

Le goût de la mer

Les mers et les océans contiennent environ 30 g de sel dissous par litre. C'est en Arabie Saoudite que se trouve la plus salée de toutes les mers : on l'a nommée la mer Morte, car aucun poisson ne peut y vivre.

Les couleurs de la mer

La mer est un miroir qui reflète la couleur du ciel, c'est pourquoi l'eau est habituellement bleue. Mais la couleur de la mer dépend aussi des éléments qui la constituent. Quand il y a beaucoup d'algues, la mer a plutôt une teinte verte. En Asie, la mer Jaune doit sa couleur spéciale aux grands fleuves qui l'alimentent et qui déversent des sédiments jaunâtres.

Vrai ou faux?

1. L'ancêtre préhistorique de la baleine était un mammifère terrestre de la taille d'un chien, avec des petits sabots et des griffes.
2. Les baleines ont longtemps été chassées pour leur graisse, leur viande et leurs fanons, mais depuis 1986, il est interdit de les tuer.
3. Le célèbre Moby Dick, du roman d'Herman Melville, était un cachalot qui avait une tache blanche sur le ventre.
4. Le requin-baleine est une baleine croisée avec un requin.
5. Les requins sont tous des « mangeurs d'hommes ».
6. Les étoiles de mer les plus communes ont cinq branches et si elles en perdent une, une autre se reforme.
7. La science qui étudie les mers et les océans est la géographie.

Les marées

Chaque jour, la mer prend six heures pour monter et six heures pour descendre. Ce mouvement continuel est dû au Soleil et à la Lune qui attirent les eaux de notre planète. Observe ces deux dessins et trouve ce qui a changé à marée haute. Il y a plusieurs différences.

À marée haute

À marée basse

Les baleines du Saint-Laurent

Chaque été, on peut voir plusieurs espèces de baleines remonter le fleuve Saint-Laurent. Sauras-tu reconnaître celles qui sont illustrées ci-dessous ? Sers-toi des définitions pour associer la baleine et le nom qui lui correspond.

A Le cachalot a une énorme tête carrée.
B Le marsouin commun est le plus petit des cétacés.
C Le béluga est blanc.
D Le rorqual bleu est le plus grand cétacé.
E L'épaulard mâle a une longue nageoire dorsale.

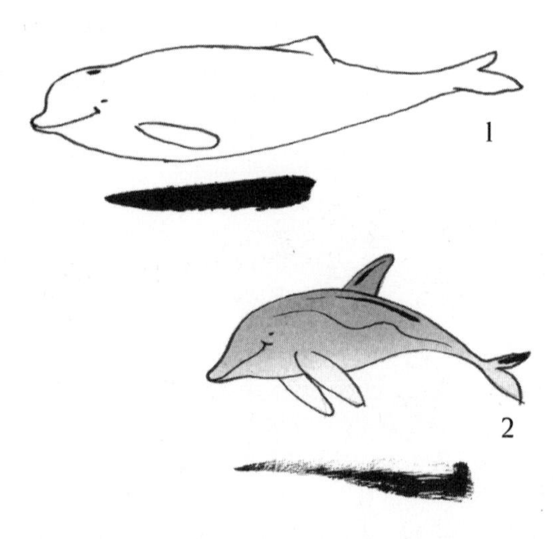

3
4
5

Au fil de la lecture

Natacha fait des vagues

1. Lili et Natacha sautent de joie lorsque leurs parents leur annoncent qu'ils vont tous en vacances :
   a) au bord de la mer Rouge ;
   b) au bord de la mer Méditerranée ;
   c) au bord de l'océan Atlantique.

2. Les filles s'amusent beaucoup à la plage :
   a) elles font de la plongée sous-marine pour observer les requins ;
   b) elles ramassent des pierres et des coquillages ;
   c) elles lisent les aventures de Tintin sous leur parasol.

3. Pourquoi Lili reçoit-elle une récompense ?
   a) Elle ne s'est pas du tout disputée avec Natacha.
   b) Elle a retrouvé le stylo préféré de son père.
   c) Elle a aidé son père à ranger les bagages dans le chalet.

4. **Qu'a fait Natacha pour tenter d'avoir aussi une récompense ?**
   a) Elle a caché le stylo du père de Lili et a fait semblant de le retrouver.
   b) Elle a aidé sa mère à retrouver une de ses boucles d'oreilles.
   c) Elle a caché un objet que Lili aime beaucoup pour faire semblant de le retrouver.

5. **Lili en veut à Natacha parce qu'elle a égaré :**
   a) son collier préféré ;
   b) sa collection de belles pierres ;
   c) l'éventail que sa grand-mère lui a rapporté d'Espagne.

Souvenirs de vacances

Dans un petit carnet, Natacha a noté les événements qui ont marqué ses vacances au bord de la mer. En voici quelques extraits que tu dois remettre dans le bon ordre.

1) J'aime ça la mer. L'eau était froide, mais Lili et moi on s'est bien amusées quand même. On a ramassé des coquillages et deux étoiles de mer.
2) Le voyage a été long, mais nous voici enfin arrivés au chalet. Ce que j'ai hâte d'aller me baigner dans la mer !
3) Cet après-midi, à la plage, Lili et moi on a commencé une collection de pierres. J'en ai trouvé une qui ressemble à une coccinelle, c'est ma préférée.
4) Lili a vraiment de la chance : elle a retrouvé par hasard le stylo de son père et c'est elle qui a eu la récompense qu'il avait promise : une belle boîte de chocolats. C'est injuste !
5) Ce matin, on a fait une excursion en mer pour voir des baleines. On en a aperçu quelques-unes, mais j'ai failli vomir tellement le bateau tanguait…

La leçon de Natacha

Pour déchiffrer ce que dit Natacha, remplace chaque lettre par celle qui la précède dans l'alphabet.

M'bnjujf ftu qmvt qsfdjfvtf rv'vof cpjuf ef dipdpmbut.

Après la lecture

Voyages, voyages...

Observe bien les objets que la grand-mère de Lili lui a rapportés de ses vacances à l'étranger et associe-les correctement aux pays qu'elle a visités.

Italie

France

Écosse

Australie

Mexique

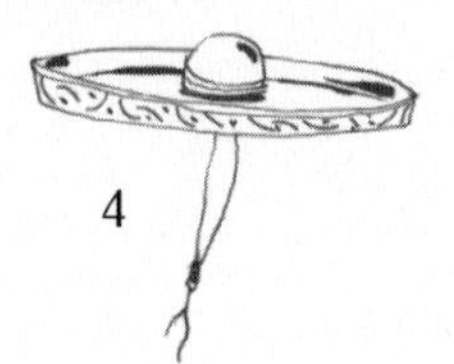

Bricolage avec des coquillages au fond de l'océan

Si tu as l'occasion de ramasser des coquillages ou si un ami t'en rapporte de ses vacances au bord de la mer, tu pourrais les utiliser pour réaliser cette boîte à trésor.

Tu peins la boîte en rouge, par exemple.
Tu colles les coquillages sur la boîte.
Attention à laisser un espace vide en haut de la boîte afin que le couvercle puise s'y adapter.
Quand la colle est sèche, tu peux vernir la boîte et les coquillages.

Au fond de l'océan

D'étranges créatures
Aux longues chevelures
Glissent sur les courants.
Elles ont des yeux verts
Et des robes de mousse;
Elles ont le teint clair
Et leurs voix sont très douces.
Dans leurs maisons d'éponge
Aux toitures d'émail,
Le soir, elles s'allongent
Sur un lit de corail.
Elles font des colliers
Avec des coquillages;
Elles gardent en cage
Des poissons-perroquets.

Henriette Major, *J'aime les poèmes,*
Éditions Hurtubise HMH, 2002.

Solutions

Avant la lecture

Vrai ou faux ?

1.Vrai, (il s'appelait mésonyx) ; 2. Vrai (sauf pour quelques pays qui pratiquent une chasse contrôlée) ; 3. Faux (il était totalement blanc) ; 4. Faux (c'est un requin pouvant mesurer 18 m et peser 12 tonnes, mais inoffensif pour l'être humain) ; 5. Faux (seules 35 espèces sur 350 sont dangereuses pour l'homme) ; 6. Vrai ; 7. Faux (c'est l'océanographie).

Les marées

Les différences sont : la barque, la chaise longue, le château de sable, les algues, l'étoile de mer, la bouteille, les pierres et le flotteur.

Les baleines du Saint-Laurent

1. c ; 2. b ; 3. d ; 4. a ; 5. e.

Au fil de la lecture

Natacha fait des vagues

1. c ; 2. b ; 3. b ; 4. c ; 5. a.

Souvenirs de vacances

2, 1, 3, 5, 4.

La leçon de Natacha

L'amitié est plus précieuse qu'une boîte de chocolats.

Après la lecture

Voyages, voyages...

1. Écosse ; 2. Australie ; 3. Italie ; 4. Mexique ; 5. France.

Dans la même collection

Premier niveau

- **Aline et le grand Marcel**
  Christiane Duchesne
- **Les Amours d'Anatole**
  Marie-Andrée Boucher Mativat
- **Anatole, le vampire**
  Marie-Andrée Boucher et Daniel Mativat
- **L'Araignée souriante**
  Laurent Chabin
- **L'Arbre à chaussettes**
  Alain Raimbault
- **Chats qui riment et rimes à chats**
  Pierre Coran
- **Chèvres et Loups**
  Lisa Carducci
- **Le Cosmonaute oublié**
  Marie-Andrée Boucher et Daniel Mativat
- **Le Dossier vert**
  Carmen Marois
- **L'Écureuil et le Cochon**
  Micheline Coulibaly
- **Elsie, la chèvre orgueilleuse**
  Louise Perrault
- **Les Enfants d'Anatole**
  Marie-Andrée Boucher Mativat
- **L'Escale**
  Monique Ponty
- **L'Étoile de l'an 2000**
  Nicole M.-Boisvert
- **Le Fantôme du rocker**
  Marie-Andrée Boucher et Daniel Mativat
- **L'homme qui venait de la mer***
  Robert Soulières
- **Lili et Moi**
  Claudie Stanké
- **Mes vacances avec Lili**
  Claudie Stanké
- **La Peur de ma vie**
  Paul de Grosbois
- **La Récompense de Lili**
  Claudie Stanké
- **Les Trois Souhaits**
  Marie-Thérèse Rouïl
- **Ulysse qui voulait voir Paris**
  Monique Ponty
- **Un cadeau du ciel**
  Kochka
- **Un étrange phénomène**
  Alain Raimbault
- **Une histoire de Valentin**
  Nicole M.-Boisvert
- **Une journée à la mer**
  Marie Denis

▪ **Le Bonnet bleu**
  Christiane Duchesne

▪ **Calembredaine**
  Anne Silvestre

▪ **Jonas, le requin rose**
  Yvon Mauffret

▪ **Manuel aux yeux d'or**
  Isabelle Cadoré Lavina

▪ **Le Monde au bout des doigts**
  Marie Dufeutrel

▪ **La Montaison**
  Michel Noël

- ■ **Les Moutons disent non !**
Johanne Barrette
- ■ **Le Papillon des neiges**
Angèle Delaunois
- ■ **Rose la rebelle**
Denise Nadeau
- ■ **Sonson et le Volcan**
Raymond Relouzat
- ■ **Les Souliers magiques**
Christine Bonenfant
- ■ **Zoé et les Petits Diables**
Sylvain Trudel

Deuxième niveau

- • **Brûlez Vaval !**
Jean-Pierre et
Nelly Martin
- • **Espaces dans le temps**
Janine Idrac
- • **Le Fantôme voleur de chaussures**
Johanne Barrette
- • **Le Homard voyageur**
Cécile Gagnon
- • **Meurtre en miroir**
Irina Drozd
- • **Le Monstre de Saint-Pierre**
Nelly et Jean-Pierre
Martin
- • **La Mouette**
Irina Drozd
- • **Le Noël de Maïté**
Marie-Célie Agnant
- • **Père Noël cherche emploi**
Johanne Barrette
- • **Sortie de nuit**
Cécile Gagnon
- • **Trafic de tortues**
Jean-Pierre Martin
- • **Un compagnon pour Elvira**
Cécile Gagnon
- • **Une barbe en or***
Cécile Gagnon
- • **La Veste noire**
Évelyne Wilwerth
- • **Zigzag le zèbre**
Paul-Claude Delisle
- ■ **L'Almanach ensorcelé**
Marc Porret
suivi de
L'Espace d'une vengeance
Véronique Lord
- ■ **L'Auberge du fantôme bavard**
Susanne Julien
- ■ **Brelin de la lune**
Kochka
- ■ **Le Capteur de rêves**
Michel Noël
- ■ **CH. M. 250. K**
Nicole Vidal
- ■ **La Chienne aztèque**
Louise Malette
- ■ **Le Cœur entre les dents**
Monique Ponty
- ■ **La Croisade de Cristale Carton**
Christine Eddie
- ■ **La Fresque aux trois démons**
Daniel Sernine
- ■ **Le Galop du Templier***
Anne-Marie Pol
- ■ **Herménégilde l'Acadien**
Alain Raimbault

- ■ **L'Instant des louves**
  Gudule
- ■ **Kankan le maléfique**
  Louis Camara
- ■ **Le Kitchimanitou**
  Michel Noël
- ■ **Mamie Blues**
  Grégoire Horveno
- ■ **Marguerite**
  Pierre Roy
- ■ **La Nuit mouvementée de Rachel**
  Marie-Andrée Clermont
- ■ **Télé-rencontre**
  Francine Pelletier
- ■ **Une voix dans la nuit**
  Marie Angèle Kingué
- ■ **Une vraie famille**
  Irina Drozd

Troisième niveau

- • **Crinière au vent**
  Poésies du Canada francophone
  Marcel Olscamp
- • **La Forêt de métal**
  Francine Pelletier
- • **La Parole nomande**
  Poésies francophones
  Bernard Magnier
- • **La Rose des sables**
  Nadia Ghalem
- ■ **Les 80 Palmiers d'Abbar Ben Badis**
  Jean Coué
- ■ **Le Baiser des étoiles**
  Jean-François Somain
- ■ **La Chambre noire du bonheur**
  Marguerite Andersen
- ■ **Le Chant de la montagne**
  Fatima Gallaire
- ■ **Portraits de famille***
  Tiziana Beccarelli-Saad
- ■ **Poursuite...**
  Marie-Andrée Clermont
- ■ **Vingt petits pas vers Maria**
  Marie-Célie Agnant

• **Niveau facile**
■ **Niveau intermédiaire**

* Texte également enregistré sur cassette.